LA CIUDAD
A TU ALCANCE

Título original: *La ville à petits pas*
Publicado en francés por Actes Sud Junior

Traducción de Nuria Martí

Distribución exclusiva:
Ediciones Paidós Ibérica, S.A.
Mariano Cubí 92 - 08021 Barcelona - España
Editorial Paidós, S.A.I.C.F.
Defensa 599 - 1065 Buenos Aires - Argentina
Editorial Paidós Mexicana, S.A.
Rubén Darío 118, col. Moderna - 03510 México D.F.- México

© Actes Sud Junior, 2003

© 2006 exclusivo de todas las ediciones en lengua española:
Ediciones Oniro, S.A.
Muntaner 261, 3.º 2.ª - 08021 Barcelona - España
(oniro@edicionesoniro.com - www.edicionesoniro.com)

ISBN: 84-9754-211-8
Depósito legal: B-8.191-2006

Impreso en Gramagraf, SCCL
Corders, 22-28 - 08911 Badalona

Impreso en España - *Printed in Spain*

Michel Le Duc
Nathalie Tordjman

LA CIUDAD
A TU ALCANCE

Ilustraciones de
Yves Calarnou

*A Baptiste, Juliette, Nina, Sarah y Thomas,
ciudadanos del siglo XXI*

ONIRO

La ciudad está en todas partes

Si vives en una ciudad, tal vez vayas con tus padres al campo
a respirar un poco de aire fresco.

Y si vives en el campo, quizá te acompañen a la ciudad para ir
de compras, ver al médico, asistir a un espectáculo o ir al
colegio... Hoy día casi todo el mundo va de vez en cuando
a una ciudad y una persona de cada dos vive en ellas.

A algunas les gustan las ciudades para vivir, ir a pasear o visitarlas...
Y a otras no les gustan porque las encuentran ruidosas,
sucias y peligrosas.

Prefieren el campo y sueñan con vivir en él.

Las ciudades, comparadas con los seres humanos, aparecieron
hace relativamente poco tiempo. Por eso quizá a algunas
personas no les guste vivir en este artificial entorno.

La ciudad, una invención humana

¿A que no te imaginas a los hombres prehistóricos viviendo en una ciudad? ¡Tienes toda la razón! Durante más de 100.000 años nuestros antepasados vivieron en las llanuras y en los bosques. Después, poco a poco, fueron construyendo ciudades en lugares en los que era fácil vivir, cerca de un río, porque era imposible vivir en ellas sin agua ni un medio de transporte.

Cuando no existían las ciudades

Los primeros seres humanos eran nómadas. Se desplazaban para ir en busca de plantas y animales con los que alimentarse. Construían refugios o vivían en la entrada de las cuevas, donde volvían a veces para rendir honor a sus muertos.

Durante mucho tiempo no hubo en el planeta ninguna ciudad

Hace unos 18.000 años había cuevas decoradas
En todos los continentes los seres humanos vivían agrupados en tribus nómadas. Las cosechas y la caza no eran sus únicas ocupaciones.

Hace unos 10.000 años aparecieron los primeros pueblos
Los humanos construían vallas alrededor de su pueblo para protegerlo. Los graneros se encontraban en el centro, rodeados de las cabañas.

Los primeros pueblos de agricultores

Hace unos 10.000 años, en los climas favorables, los seres humanos se pusieron a cultivar la tierra y a criar ganado en un mismo lugar. La mejor calidad de las cosechas permitía a los agricultores almacenar y proteger en el pueblo las reservas de cereales. Con la agricultura, la población mundial ascendió de 10 millones a 160 millones en 4.000 años.

Las primeras ciudades

Las primeras ciudades no se encontraban, como los pueblos, en medio del campo, sino que se construían en lugares fáciles de defender y también cerca de los caminos, los ríos o del mar para poder transportar las mercaderías. La población no se dedicaba sólo a la agricultura, sino que practicaba una gran variedad de oficios. Los artesanos, los comerciantes, los militares, los ingenieros, los capataces y los contables se agrupaban a veces, según su oficio, en un determinado barrio.

—Las ciudades aparecieron en distintos lugares de la Tierra—

Hace unos 7.000 años, en Oriente Próximo

La primera ciudad que se conoce fue Jericó, en el valle del Jordán. Más tarde se construyeron otras ciudades entre el Tigris y el Éufrates, como Ur, Uruk, Babilonia y Nínive.

Hace unos 5.000 años, en Sudamérica

Caral, la ciudad sudamericana más antigua que se conoce, se encontraba en Perú, a 20 kilómetros del mar. En ella se habían levantado seis pirámides, alrededor de una plaza, rodeadas de viviendas.

Las ciudades se volvieron poderosas por las guerras

La antigua Roma fue una ciudad poderosa. En aquella época los romanos dominaban Europa y el Mediterráneo. Más tarde Roma perdió su poder. Y durante mucho tiempo, ninguna ciudad de Europa tuvo su mismo esplendor.

Una ciudad tiene un fundador

En la antigüedad las primeras ciudades se construyeron bajo la protección de los dioses y las órdenes de un jefe. Estaban rodeadas de protectoras murallas cuadradas o rectangulares, con torres o pirámides, símbolos de poder. En la actualidad la palabra rusa город (*gorod*) y el pictograma chino 城 (*cheng*) significan al mismo tiempo «la ciudad» y «el muro».

Las ciudades fueron apareciendo en Europa

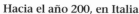

Hacia el año 500, en Grecia
Atenas tenía 100.000 habitantes: había muchos esclavos, extranjeros y mujeres y sólo un 10 por ciento de ciudadanos, pobres o ricos, que dirigían la ciudad.

Hacia el año 200, en Italia
Roma, fundada en el año 753, tenía 2 millones de habitantes en su mejor época. Después fue declinando. En el 330 la capital se desplazó a Constantinopla, en la antigua Bizancio. En la actualidad es Estambul.

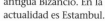

Las ciudades imperiales

Gracias a su poder militar, los imperios antiguos convirtieron el mundo en un lugar más seguro. Las ciudades de Atenas, Roma, Constantinopla y Bagdad alcanzaron, una tras otra, el poder y dominaron inmensos territorios.

Cada capital protegía su imperio construyendo otras ciudades. Atenas hizo prosperar a Alejandría y Marsella; Roma, Cartago y Lyon, y el poder de Bagdad se extendía hasta Córdoba, en España. Cuando las capitales caían en manos de los conquistadores, eran sometidas y a menudo arrasadas.

Una Europa sin ciudades

Después de la caída del imperio romano, las ciudades medievales europeas siguieron rodeadas de murallas durante siete siglos para protegerse de las invasiones bárbaras. La ciudad, alrededor del castillo, estaba a su vez rodeada de suburbios dedicados al comercio. Más tarde, las ciudades cristianas se organizaron alrededor de la plaza del mercado, al pie de una catedral.

—Las ciudades predominantes en Oriente—

Hacia el año 600, en China

Xi'an, la capital imperial, se encontraba a orillas del río Amarillo y tenía más de un millón de habitantes. Era cuadrada y estaba rodeada de grandes murallas con puertas.

Hacia el año 1000, en Mesopotamia

Los árabes, que llegaron hasta China, dominaron toda la cuenca mediterránea. Bagdad llegó a tener un millón de habitantes. Esta ciudad redonda, considerada como ideal, hizo soñar al mundo.

Las ciudades renacieron gracias al comercio

En la época en la que robaban a los comerciantes en los caminos, éstos confiaban su dinero a una agencia de cambio, que les entregaba un pagaré. Al llegar a otra ciudad, podían canjearlo por moneda. Estas agencias sólo existían en las ciudades.

El auge del comercio

Entre los siglos VIII y XI los árabes hicieron del Mediterráneo un poderoso centro económico aislado del mundo. Las ciudades costeras italianas prosperaron gracias a los intercambios con los países islámicos. Hacia el año 1300 Venecia se convirtió en una capital indiscutible, más poderosa que un país.

Las ciudades europeas se abren al comercio mundial

Hacia el año 1100, en Italia
Palermo era la ciudad más importante de Italia, con 150.000 habitantes. Los normandos acababan de echar a los árabes del lugar.

Hacia el año 1200, en Flandes
Brujas, situada a orillas del río Zwin, exportaba telas en barco a Europa. Tenía 125.000 habitantes. Era el centro bancario de Europa.

El descubrimiento de nuevos mundos

En el norte de Europa, ciudades como Amberes y Brujas se enriquecieron también gracias al comercio que surgió alrededor del mar Báltico. Más tarde sus intercambios comerciales con Italia aumentaron y se fundaron ciudades como Troyes, Lille, Fráncfort y Leipzig junto a las rutas que unían las ciudades del norte con las de Italia. Sevilla, en España, y Lisboa, en Portugal, progresaron gracias a la riqueza aportada por los navegantes de India, América, África y China.

El renacimiento de las ciudades

Con el comercio y la presencia de los papas en Roma, las ciudades italianas también se embellecieron en el siglo XVI aunque sin ampliarse. Roma superó pronto en belleza a Florencia y se convirtió en la capital artística de Italia.

Después de las terribles epidemias de peste bubónica, la población de Europa aumentó. La mayoría de la burguesía, atraída por los productos exóticos, se instaló en las ciudades.

Hacia el año 1500, en Italia

En Florencia los arquitectos y artistas diseñaron una ciudad ideal. Pero seguía siendo sucia y la peste, transmitida por las pulgas de las ratas, diezmó los habitantes de Europa.

Hacia el año 1700, en Portugal

Con los descubrimientos marítimos de los portugueses, Lisboa se convirtió en la ciudad más importante del imperio colonial. Antes de que un terremoto destruyera la ciudad en 1755, la población alcanzaba los 190.000 habitantes.

Las fábricas revolucionaron las ciudades...

¡El carbón hizo progresar a las ciudades! Esta nueva fuente energética permitió inventar la máquina de vapor y construir puentes y vigas metálicas. Gracias a esta revolución industrial, la población aumentó y afluyó a las ciudades. ¡En la historia de la humanidad nunca se había visto nada igual!

Las fábricas, un invento de las ciudades

Hasta el siglo XVIII menos del 8 por ciento de la población vivía en las ciudades. Pero al desarrollarse la industria, las ciudades crecieron rápidamente. Los viejos barrios se destruyeron para construir fábricas en ellos.

Alrededor de las minas se construyeron viviendas para alojar a los obreros, porque una fábrica requería muchos trabajadores, y la gente empezó a abandonar el campo para trabajar en la ciudad. Además, con la nueva maquinaria ya no se necesitaba tanta mano de obra trabajando en los campos.

En Europa las ciudades se modernizaron

Londres, en 1820
Londres, que ya había prosperado con el comercio internacional, tenía un millón de habitantes. Un siglo más tarde, con la industrialización su población ascendería a seis millones.

París, en 1860
Bajo las órdenes de Napoleón III, el prefecto Haussmann creó 165 kilómetros de vías públicas para unir las estaciones parisinas entre sí y organizar la ciudad.

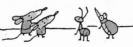

¡Después se realizaron grandes cambios!

Para que las grandes ciudades fueran habitables, se tuvieron que remodelar. Se construyeron amplias avenidas, se crearon parques y jardines, se abrieron grandes tiendas y se mejoraron los equipamientos urbanos (de agua, alumbrado, alcantarillado y transportes).

¡La vida en una ciudad no era fácil!

Las ciudades industriales se extendieron y traspasaron sus murallas. En 1900 Londres se convirtió en la ciudad más rica y poblada del mundo; contaminada y sin agua corriente, la ciudad era sucia y peligrosa.

En Estados Unidos las ciudades eran gigantescas

Chicago, en 1871
Chicago albergaba el mercado más grande de trigo del mundo. El centro de la ciudad, destruido por un incendio, se reconstruyó con rascacielos de cristal y acero.

Nueva York, en 1930
El Empire State Building, de 381 metros de altura y ciento dos pisos, fue hasta el año 1974 el edificio más alto del mundo.

... las cuales fueron recibiendo cada vez más gente

Las ciudades crecieron como setas

En Estados Unidos las ciudades empezaron a crecer en la costa atlántica, donde desembarcaban los emigrantes europeos, y más tarde en el interior del país, donde llegaban las vías de tren.

Los hombres de negocios dividieron los territorios de las nuevas ciudades en parcelas geométricas perfectamente alineadas con las calles para venderlas con más facilidad.

La gran reconstrucción

En 1945 muchas ciudades de Europa y de Japón quedaron destruidas y las viviendas que se salvaron no tenían lavabo ni calefacción.
Con la paz la gente empezó a tener más niños. Se hizo necesario construir nuevas viviendas. Fue la época de las «ciudades dormitorio», formadas por numerosos inmuebles adosados o por altos edificios.

Las ciudades predominan en el mundo

En 1960, en África

Diversos países alcanzaron su independencia después de más de un siglo de colonización. Ciudades como Lagos, en aquella época la capital de Nigeria, se volvieron inmensas.

En 1990, en China

En Shanghai se inició un gran programa de reconstrucción de la ciudad. Se construyeron más de tres mil edificios en diez años.

Las ciudades máquina

La electricidad permitió a las ciudades, gracias a los ascensores y transportes, crecer en altura y extensión. Pero las ciudades eran a menudo insoportables. Se intentó separar las viviendas del trabajo y del comercio, y se incluyó el campo como lugar para vivir. En Francia se construyeron alrededor de las ciudades núcleos residenciales rodeados de zonas verdes. En Estados Unidos se prefirió construir las oficinas en el centro de la ciudad y las viviendas en la periferia.

Las seis ciudades más pobladas

En 1800	En 1900	En 1950	En 2000
Pekín	Londres	Nueva York	Tokio
Londres	Nueva York	Tokio	Seúl
Cantón	París	Londres	Nueva York
Estambul	Berlín	Osaka	México
París	Chicago	París	São Paulo
Hangzhou	Viena	Moscú	Osaka

En 2001, en Estados Unidos
Unos kamikazes terroristas atacaron y destruyeron las Torres Gemelas del World Trade Center de Nueva York, el símbolo del poder económico de Estados Unidos.

En 2002, en Corea del Sur
Seúl, que hace treinta años no era más que una pequeña ciudad de un país subdesarrollado (en la actualidad tiene 18 millones de habitantes), organizó con Tokio, su ciudad rival, la copa del mundo de fútbol.

II

CADA CIUDAD ES ÚNICA

«No hay nada que se parezca más a un ser vivo que este corazón de piedra.»
Michel Ragon

Hay todo tipo de ciudades

Si te paseas por Lyon, Amsterdam o Praga, te encuentras en una ciudad; por tanto los edificios, las personas, las calles y el ambiente, todo es distinto. Si ya has visitado una de estas ciudades, la reconocerás por los mil pequeños detalles que la caracterizan, porque cada una tiene su propia personalidad.

¿Cúan grandes son las ciudades?
Hay ciudades pequeñas, grandes ¡y también medianas!
¿En qué momento un «pueblo» que crece se convierte en una ciudad? Diferentes países usan diferentes definiciones. En Francia, un lugar es una ciudad cuando hay más de 2.000 habitantes agrupados. Pero en otros países sólo se considera una ciudad si tiene al menos 10.000 habitantes.

Las ciudades capitales
París, Londres, Estocolmo y Lisboa son las ciudades más grandes de sus respectivos países y la capital o la sede de su gobierno. Pero la capital política de un país no siempre es la ciudad más grande. La capital de Estados Unidos es Washington, la de Suiza, Berna y la de Australia, Canberra... Después de la caída del muro en 1989, Berlín reemplazó a Bonn como la capital de la Alemania reunificada.

Una visita por las ciudades de Europa

Turín en Italia, Düsseldorf en Alemania y Roubaix en Francia son **ciudades industriales**. Alrededor de las fábricas se han construido viviendas para las personas que trabajan en ellas.

Bristol en Inglaterra, Rotterdam en Holanda y Marsella en Francia son **ciudades portuarias**. Las mercancías procedentes del mundo entero pasan por sus muelles.

La Haya en Holanda y La Roche-sur-Yon en Francia son **ciudades administrativas**. Albergan a los representantes del Estado.

Coimbra en Portugal, Cambridge en Inglaterra y Montpellier en Francia son **ciudades universitarias**. En ciertos barrios sólo viven estudiantes.

Sevilla en España, Viena en Austria, Florencia en Italia y Vichy en Francia son **ciudades turísticas**. Los turistas las visitan atraídos por sus monumentos o sus aguas termales.

La forma
de la ciudad

Dibujar una ciudad no es fácil.
Puedes representar los edificios,
una estación, un teatro, una iglesia,
un estadio, un puente, una calle...
pero una ciudad no es sólo los
edificios que la componen.

La ciudad vista desde el aire

Al sobrevolar una ciudad en avión, estudiar
las fotografías aéreas o contemplar un plano
de la misma, vemos si una ciudad se extiende
a lo largo de un río, está atravesada por una
autopista o una vía de tren o está encajonada
en un valle. Puede ser compacta como
París o dilatada como Londres. En efecto,
los 10 millones de londinenses que prefieren
las casas unifamiliares, viven en una
extensión diez veces mayor que los
10 millones de parisinos.

Los límites de una ciudad

En España una gran cantidad de ciudades
estaban en el pasado rodeadas de murallas para
protegerlas de las invasiones. Muchas de ellas
fueron destruidas, como ocurrió en Barcelona,
una ciudad que ha tenido distintas murallas
sucesivas. Algunas ciudades de Francia que
conservan sus murallas tienen formas muy
concretas: Guérande es redonda, Aigues-
Mortes, cuadrada y Neuf-Brisach, estrellada.

La ciudad más allá de sus murallas

En la actualidad muchas ciudades, con o sin murallas, sobrepasan sus límites. En su periferia se extienden centros comerciales, glorietas, empresas, almacenes y casas unifamiliares con jardín. Sus construcciones son menos densas que en el centro de la ciudad, pero aun así es la ciudad la que da la impresión de diluirse en el campo.

Encuesta sobre las ciudades

¿Sabías que la parte de una ciudad llamada «intramuros» es el centro que en el pasado estaba rodeado de «muros»? ¿Conoces las murallas de Ávila?

En un mapa se ven ciudades como Hamburgo, en Alemania, situada junto a un río y otras como Génova, en Italia, limitada por el mar.

Cómo orientarse en una ciudad

Cuando visitas una ciudad o un barrio desconocido, has de orientarte. Por eso es muy poco probable que te pierdas. Siempre hay alguien que puede indicarte el camino y una ciudad tiene muchas señales para que te orientes. Sin embargo, a veces cuesta encontrar lo que uno está buscando.

La utilidad del plano

En todas las ciudades hay unos planos clavados en los cruces o en las paradas de los transportes públicos. En ellos el norte suele estar en la parte superior y las calles delimitan manzanas o cuadras. En Estados Unidos las calles se han numerado. En otros países llevan un nombre y las casas están numeradas. En España los edificios están numerados, los números pares se encuentran a un lado de la calle y los impares en el otro. En Tokio, en cambio, las casas no están numeradas y la gente se orienta tomando como referencia las construcciones importantes.

Los puntos de referencia universales o personales

En una ciudad las plazas, los jardines públicos, un afluente, un río o el mar sirven como puntos de referencia. Algunos edificios conocidos y visibles desde lejos como una estación, un teatro, el palacio de justicia, el ayuntamiento, la catedral, las iglesias y los museos, también sirven para orientarse. Otros lugares que todo el mundo conoce, como las tiendas, los cines y los restaurantes de comidas rápidas son unos buenos puntos de encuentro.

Varios itinerarios posibles

Cuando en una ciudad hay metros o tranvías, ésta está jalonada de estaciones. A menudo para ir a un lugar has de bajar en la estación más cercana a él. En una ciudad puedes ir a un lugar por distintos caminos, depende de si vas en metro, en autobús, en barco, en coche, en bicicleta o a pie. Y el camino más rápido no es siempre el más corto.

Encuesta sobre las ciudades

Toma un plano de tu ciudad y calcula la distancia que hay de tu casa al colegio y del colegio al estadio o a la piscina. Para ello busca la escala que se encuentra en la parte inferior del plano.

En una escala de 1/5.000, cada centímetro del plano representa 5.000 cm, es decir 50 m en la calle.

En una escala de 1/10.000 cada centímetro del plano representa 10.000 cm, es decir 100 m en la calle.

Para que te cupiera en esta página tendrías que reducir el plano de tu ciudad a una escala de 1/100.000... En ese caso sólo verías las grandes avenidas.

Las ciudades del mundo

Como cada día ves tu ciudad, ésta te parece de lo más común. Pero aunque no lo sepas, es típica del país e incluso del continente donde vives. Para darte cuenta de ello, has de compararla con otras ciudades del mundo.

En Europa la historia está en el centro de las ciudades

La mayor parte de las ciudades europeas están en el mismo lugar desde hace uno o dos milenios. En el centro de cada una hay las huellas de su historia. Las de la historia moderna, en cambio, se manifiestan en los grandes edificios, los núcleos residenciales ajardinados y los hipermercados. Desde Londres a Milán, pasando por Alemania y Zurich, se extiende una especie de ciudad gigantesca, o megalópolis. En el este, la población de Moscú sobrepasa la de París o la de Londres.

Norteamérica, el país de los automóviles

En las ciudades de Estados Unidos y Canadá ningún edificio tiene más de dos siglos. El centro está ocupado por los rascacielos del Central Business District (CBD) a los que acuden cada día los empleados de las empresas. En los alrededores se ha instalado gente pobre, artistas e intelectuales. La mayoría de habitantes viven lejos, en los núcleos residenciales, comunicados por medio de las autopistas. En Dallas o en Miami, en todas las ciudades, las comunidades se agrupan por barrios.

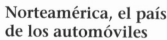

Japón, el país de la efervescencia y los terremotos

El ochenta por ciento de la población japonesa se concentra en grandes ciudades. Todas las ciudades japonesas se reconstruyeron, salvo Kioto, que se salvó de los terremotos y los bombardeos de 1945. Tokio, la capital, donde vive uno de cada cuatro japoneses, se extiende alrededor de veinte centros. A los pies de los edificios y las autopistas supendidas en el aire se encuentran las casas, pequeñas y apretadas, en calles sin aceras. Cada habitante se pasa dos horas en el metro, por la mañana y por la tarde.

En China las ciudades se han modernizado

En China las ciudades, algunas de ellas muy grandes, existen desde hace milenios. La capital china tradicional era cuadrada y estaba rodeada de murallas, como en Xi'an o Pekín. Pero desde hace veinte años las ciudades se han modernizado y han crecido muy deprisa. Los barrios antiguos se han destruido y ahora se alzan en ellos grandes edificios. Una nueva red de autopistas ha permitido el crecimiento de los extrarradios, donde los ricos y los pobres, que se cuentan por millones, viven en distintos barrios.

Las huellas de la colonización en África

Ciudad de El Cabo, Lagos o Brazzaville, las grandes ciudades africanas se desarrollaron gracias a su puerto de origen colonial. Este tipo de ciudades se dividen en dos zonas: la rica, ocupada en el pasado por los blancos, y la pobre. En los barrios residenciales ricos, reformados y bien equipados, se encuentran los palacios, los ministerios, los bancos y una población acomodada. En la parte pobre de la ciudad, las precarias viviendas se extienden en la lejanía.

Los monumentos y las chabolas de la América Latina

Las ciudades de América Central y del Sur existen desde hace siglos y siguen creciendo. Uno de cada tres peruanos vive en Lima, la capital, donde se encuentra cerca de la mitad de los empleos del país. Las antiguas ciudades están dispuestas alrededor de una plaza central cuadrada. Hoy día junto a estos viejos barrios deteriorados se encuentran las sociedades multinacionales y los bancos. En la periferia los barrios residenciales bordean con las chabolas, que están cerca de los vertederos y las zonas industriales.

En África del Norte y en Oriente Medio escasea el espacio

En el centro de las ciudades suele encontrarse la medina, la parte antigua equipada con la mezquita y la escuela coránica. El centro suele estar restaurado para atraer a los turistas y rodeado de edificios recientes. En las proximidades, los barrios residenciales, nuevos o reformados, se alzan donde antes había los antiguos barrios coloniales. A su alrededor, la gente pobre vive amontonada en inmensas extensiones de viviendas precarias, y a veces incluso en los cementerios, como en El Cairo.

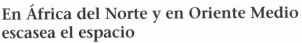

Asia, el continente de los astilleros

Las ciudades indias y del sudeste asiático están dispuestas alrededor de un puerto y albergan tanto antiguos barrios coloniales como nuevos sectores residenciales y de negocios. Las ciudades no dan abasto para albergar a las numerosas personas que llegan del campo, las cuales viven amontonadas en el centro de la ciudad, en vetustos barrios. En Karachi, Jakarta, Manila, Bombay y Calcuta millones de personas viven hacinadas en una inmensa extensión de chabolas.

De una ciudad a otra

Si has viajado en avión, en tren o incluso en coche, te habrás dado cuenta de que a menudo vas de una ciudad a otra. En efecto, las ciudades están unidas por vías de comunicación, cuanto más grande es la ciudad, más extensas son las vías.

Se prolonga hasta los campos

La ciudad, como un pulpo gigante, extiende sus tentáculos a su alrededor llegando a otras ciudades. Las autopistas, las vías férreas y las aéreas son unas prolongaciones de las ciudades por las cuales la gente viaja en coche o en tren al desplazarse por ellas. Las autopistas están rodeadas de vallas metálicas para impedir que los conductores salgan por donde les plazca.

La atracción que generan las ciudades

Algunos habitantes de las ciudades van a veces a visitar el campo o otras ciudades. Y otros prefieren ir a trabajar cada día a la ciudad vecina o se ven obligados a hacerlo. Por eso las ciudades más importantes suelen atraer a los habitantes de las más pequeñas.

La distancia entre las ciudades

En España las capitales provinciales solían estar a unos cien kilómetros de distancia unas de otras, es decir, ¡a un día de caballo! En cambio en la actualidad, al viajar en coche o en tren, esta distancia se recorre en menos de una hora.

Las vías de comunicación entre las ciudades

Si viajas en tren tardas casi el mismo tiempo en ir de Barcelona a París que de Barcelona a un pueblecito del sur. Y, sin embargo, el pueblecito está más cerca que la capital francesa. En efecto, entre las capitales las vías de comunicación son más rápidas y numerosas. El trayecto de Londres a París se realiza en tres horas con el tren que circula por el túnel del Canal de la Mancha. Y en avión sólo dura una hora, después de haber llegado al aeropuerto, que está alejado del centro.

Encuesta sobre las ciudades

El nombre de la ciudad de Brujas significa «puente». Valparaíso quiere decir «valle del paraíso»; Bombay, «la buena baya» en portugués; Los Ángeles, bautizado por los mexicanos, significa lo que indica su nombre, y Argel, «la blanca» en árabe... Intenta encontrar el origen del nombre de tu ciudad. Después averigua las palabras que te sugiere o el color que le darías.

III

VISITA GUIADA
POR LA CIUDAD

«Como un árbol en la ciudad,
he nacido en el hormigón,
encajonado entre dos casas,
sin techo, sin domicilio...»
Maxime Leforestier

El rincón de las viviendas

Si como hacen cerca de ocho europeos de cada diez, tú vives en una ciudad, probablemente habitas en un piso o en una casa. En una ciudad hay varias clases de viviendas. Son los espacios privados en los que sólo entran aquellos a los que se invita a hacerlo.

Los apartamentos para dormir

En general en una vivienda o un piso, ya sea de propiedad o de alquiler, vive una sola familia. La mayoría de holandeses viven en la ciudad, en casas alquiladas. Los españoles, en cambio prefieren comprar el piso en el que viven. Los franceses viven en pisos alquilados o son propietarios de una casa. Y, por último, los okupas ocupan aquí y allá viviendas vacías sin pagar el alquiler.

Las casas de las ciudades

Las casas, que a veces se encuentran en el centro de la ciudad, están unas junto a otras. Sus paredes se tocan o son comunes, pero los vecinos no siempre se conocen, a diferencia del campo.

Los chalets y las casas unifamiliares

Las casas construidas en medio de un jardín se encuentran sobre todo en las afueras de las ciudades. Cuando son parecidas y están construidas en un terreno dividido en parcelas, forman parte de una parcelación.

Las viviendas colectivas

En el centro de las ciudades la mayoría de viviendas son pisos. El vestíbulo de la entrada, el hueco de la escalera, el ascensor y los rellanos forman parte del edificio que comparten.

Las grandes extensiones de pisos

Estas viviendas, a menudo de protección oficial, tienen unos alquileres moderados y se encuentran en grandes bloques horizontales o verticales de pisos, construidos en la periferia de las ciudades.

Los sin domicilio fijo

Algunas personas que desean disponer de movilidad eligen vivir en las ciudades en barcas o en casas móviles. Aunque una vez instaladas, no suelen cambiar de lugar. Los gitanos, al no acostumbrarse a vivir en una casa fija, van de una ciudad a otra viajando en caravanas. Son nómadas.

Y en las ciudades también hay muchos pobres sin techo. En Madrid, se refugian bajo los puentes o en las estaciones del metro. En Tokio, acampan en tiendas en los parques. Y en Río de Janeiro se instalan en chabolas, unas viviendas improvisadas, en los terrenos libres.

El barrio donde vives

La zona que más conoces de la ciudad es tu barrio, el lugar donde está tu colegio, haces las compras o practicas deporte, donde se encuentran tus puntos de referencia y tus compañeros. Cada barrio tiene su propia personalidad. Y aunque permanezcas siempre en la misma ciudad, al ir de un barrio a otro puede darte la sensación de visitar un nuevo continente.

Todo queda a mano

Un barrio se parece un poco a una ciudad... Las personas se mueven por él a pie, se encuentran, y a veces se conocen entre ellas. Dispone de tiendas para hacer las compras diarias: la panadería, la carnicería, el supermercado, el quiosco. Y una o dos veces por semana hay en él un mercado en la calle más importante o en una plaza.

Acceso libre o controlado

En una ciudad algunos edificios están abiertos al público, como el ayuntamiento, o reservados a determinadas personas, como las escuelas. Otros edificios privados son de libre acceso, como las iglesias o los comercios, o hay que pagar para entrar en ellos, como los cines, o están cerrados al público, como las viviendas y las oficinas.

El color de los barrios

Cada barrio tiene su especialidad debido al grupo de personas que viven en él, de manera libre o forzada, al tener el mismo oficio, la misma religión o el mismo origen. En el barrio de la City, en Londres, viven los profesionales de las finanzas. El barrio de Harlem, en Nueva York, es un gueto donde la mayoría de habitantes son negros. En el elegante barrio de Passy, en París, viven sobre todo personas acomodadas.

Encuesta sobre tu ciudad

En el pasado la gente vivía en determinados barrios, según su oficio. Los curtidores y los lavanderos se instalaban cerca de los ríos. El barrio de Saint-Antoine, en París, sigue albergando a los comerciantes de muebles, y en el distrito Garment, en Nueva York, los talleres de confección. ¿Conoces los barrios especializados de tu ciudad?

El lugar de los monumentos

La plaza de San Pedro te hace pensar en Roma, el Central Park en Nueva York y el Big Ben en Londres. Estos elementos, conocidos por todos, son simbólicos. Tanto si son antiguos como modernos, distinguen una ciudad de las otras.

Los más naturales

La presencia de una colina, como la Acrópolis en Atenas, un río, como el Danubio en Budapest o un mar, como el Mediterráneo en Ajaccio, da personalidad a una ciudad.

Los más antiguos

Los monumentos antiguos suelen estar en el centro, en el barrio donde comenzó a existir la ciudad. En España la mayor parte de las catedrales del siglo XII al XV son de estilo gótico. Los ayuntamientos son unas instituciones originarias de Castilla cuyos antecedentes se remontan al siglo XIII.

Los más divertidos

Los estadios reúnen a multitudes. Forman parte de los nuevos monumentos. Los teatros tienen a veces varios siglos de antigüedad. En cambio, los teatros de la ópera y, sobre todo los cines, son más recientes.

Los más comerciales

Los grandes almacenes suelen encontrarse en el centro de la ciudad, pero hoy día una parte importante de las compras se realiza en las afueras, en inmensos centros comerciales.

Los más visitados

En las ciudades las plazas son importantes. Las calles convergen en ellas, los autobuses las rodean y son un punto de encuentro. Dan una sensación de espacio, de libertad.

Los más tranquilos

Los cementerios son unos grandes espacios muy ordenados, a menudo rodeados de muros, que permiten recordar a las personas que nos han precedido.
En Suecia son jardines públicos donde la gente va a pasear.

Los más útiles

Los hospitales, que antiguamente se llamaban en francés «Casa de Dios», son un lugar al que nadie quiere ir y, sin embargo, todo el mundo sabe dónde se encuentran.

Encuesta sobre tu ciudad

El monumento más visitado del mundo es la torre Eiffel de París. Construida en dos años para la Exposición universal de 1889, la habrían desmontado de no haberse instalado en la cima una antena emisora de radio.

En tu ciudad, ¿qué lugares te gusta mostrar a los amigos? ¿Y cuáles son los que a ellos les apetece ver? Aunque conozcas un lugar, no significa que haya de ser el que más te guste, tal vez haya otros mejores que aún no conoces.

En la avenida de los desplazamientos

Te desplazas por la ciudad a pie, en bicicleta, y también en metro, en autobús o en tranvía. En efecto, un barrio por sí solo no basta y está unido a otros por calles y medios de transporte.

La llegada de los motores

En el pasado la gente se desplazaba por las ciudades a pie o a caballo, sobre todo individualmente. Los primeros transportes públicos aparecieron en el siglo XVIII con los carruajes tirados por caballos y después con los motores de vapor. El primer metro, llamado el «tubo», se construyó en Londres en 1863. En París se inauguró en 1900; en Barcelona, en 1905 y en Madrid, en 1919. En la actualidad una cincuentena de ciudades de todo el mundo posee una red de transporte subterráneo.

El automóvil

El automóvil invadió las ciudades americanas en 1930 y las europeas en 1960. Hoy, un tercio de la superficie de las ciudades está reservada a las carreteras y a los párkings y los únicos espacios que hay para los peatones son las aceras, a veces muy estrechas.

Otros medios para desplazarse

Como los coches contaminan y obstruyen la ciudad, se han creado carriles para los ciclistas, se ha mejorado la circulación de los transportes públicos, se han reservado calles para los peatones y se han creado embarcaciones-autobús. En Barcelona un nuevo tranvía circula por la ciudad después de cincuenta años de ausencia.

Las orillas de los ríos

Un río crea una brecha, un lugar en el que la ciudad puede respirar. También es una frontera que se salva gracias a los puentes. Hace mucho tiempo que las orillas de los ríos se han abierto para que los coches puedan circular por ellas. Hoy día muchas ciudades intentan acondicionarlas para que la gente disfrute de nuevos paseos.

Encuesta sobre tu ciudad

Para ir al colegio por la mañana, ¿qué medio de transporte utilizarías para...?
– ir más deprisa
– que te costara más barato
– contaminara lo menos posible
– que el trayecto fuera lo más agradable posible

¿Sabías que en una ciudad se tarda una media de 8 minutos para recorrer 500 metros a pie? Por eso, en España un 75 por ciento de los escolares de primaria van al colegio en coche.

Un paseo por los sistemas de desagüe

Encender la luz, abrir el grifo, echar lo que no sirve a la basura sin tener que preocuparte más de ello, hablar por teléfono con alguien que está muy lejos, todo esto te parece de lo más natural, pero no sería posible sin una red de tubos, cañerías e hilos eléctricos que suelen discurrir por el interior de los edificios y bajo tierra.

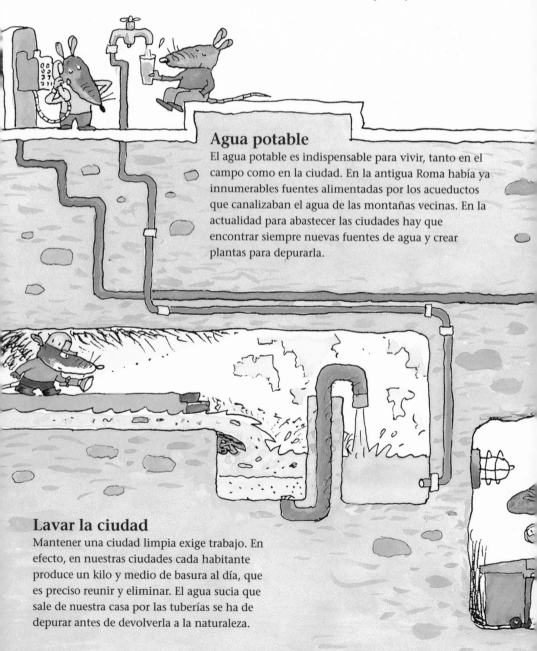

Agua potable

El agua potable es indispensable para vivir, tanto en el campo como en la ciudad. En la antigua Roma había ya innumerables fuentes alimentadas por los acueductos que canalizaban el agua de las montañas vecinas. En la actualidad para abastecer las ciudades hay que encontrar siempre nuevas fuentes de agua y crear plantas para depurarla.

Lavar la ciudad

Mantener una ciudad limpia exige trabajo. En efecto, en nuestras ciudades cada habitante produce un kilo y medio de basura al día, que es preciso reunir y eliminar. El agua sucia que sale de nuestra casa por las tuberías se ha de depurar antes de devolverla a la naturaleza.

Iluminar la ciudad

Las ciudades permanecieron durante mucho tiempo por la noche en la oscuridad. La iluminación eléctrica pública se inauguró en Nueva York en 1882, y hacia el año 1930 en Europa. En aquella época la electricidad se producía en las ciudades, en unas fábricas que funcionaban a base de carbón. En la actualidad las centrales eléctricas están más alejadas. La electricidad permite iluminar las calles, las plazas, los puentes y los monumentos tanto de día como de noche. La luz crea un ambiente agradable y una sensación de seguridad.

Las redes de comunicación

Los mensajes telefónicos circulan en la ciudad a través de la red de cables que discurren sobre todo bajo tierra.
Los móviles funcionan gracias a una serie de antenas que hay sobre los tejados en distintos puntos de la ciudad.

Los sistemas de calefacción

Electricidad, carbón, fuel, gas... una ciudad es una devoradora de energía. Sin embargo, para calentar diez pisos se necesita menos energía que para calentar diez casas unifamiliares. Algunas ciudades producen el agua caliente o la electricidad que consumen quemando la basura que generan.

En la plaza del reloj

¿Sabías que la calle de tu colegio está más tranquila durante el día? Porque los coches pasan por ella sin detenerse. En cambio, a la salida del colegio, la calle se llena de gritos y en la calzada y las aceras se producen atascos. Cada ciudad tiene sus propios ritmos, que son distintos según los barrios, las horas del día y de la noche, y los días de la semana o del año.

Las horas en una ciudad

Antaño todo el mundo sabía la hora que era por el reloj del campanario del pueblo. Hoy día en cambio en una ciudad no es necesario tener un reloj, porque puedes saber la hora observando simplemente a los transeúntes. Parecen ir siempre con prisas, como si corrieran detrás del tiempo. Los habitantes de las afueras van a la ciudad por la mañana y la abandonan a últimas horas de la tarde. Hay relojes por todas partes: en la estación, el ayuntamiento, las plazas e incluso en los parquímetros que se encuentran en las zonas verdes.

El día y la noche

Por la noche ciertos lugares, como los jardines públicos, se cierran al público. En algunos barrios la oscuridad reinante invita al sueño, mientras que en otros los rótulos luminosos de los restaurantes y las salas de espectáculo atraen a la clientela. La ciudad, más despejada por la noche, ofrece más libertad y los patinadores invaden a veces la calzada para dar largos paseos.

Los días laborables y el fin de semana

Algunas calles llenas de gente que va a trabajar de lunes a viernes se vacían los fines de semana. Los barrios comerciales que se aninan el sábado parecen muertos los domingos, cuando las tiendas están cerradas. En cambio otros lugares, como los parques y los museos, se llenan los domingos.

Los días festivos

En una ciudad hay numerosas ocasiones para salir, divertirse o participar en una manifestación pública. Festivales, desfiles, obras de teatro, encuentros deportivos, maratones... ¡En el campo no hay estas actividades!

Encuesta sobre tu ciudad

En Europa el 21 de junio es la fiesta de la Música. Y el 22 de septiembre el Día sin coches. Averigua las celebraciones que hay en tu ciudad. ¡En esos días verás las calles con otros ojos!

En la calle de la naturaleza

Al oír la palabra «ciudad» piensas más en la contaminación y en los ruidos que en las florecillas y los pájaros. En el pasado las ciudades eran lo opuesto al campo, en cambio ahora se están acondicionando en ellas unos espacios para albergar a la naturaleza.

Los fenómenos naturales predominan en las ciudades

Las ciudades no están encerradas en una burbuja gigante. El clima de la región influye mucho en la naturaleza de la ciudad. Pero las ciudades tienen su meteorología particular. Suele hacer menos frío en el centro que en la periferia. Los inmuebles alineados frenan o aceleran el paso del viento.

En ciertas regiones las ciudades se han construido de modo que puedan resistir la erupción de un volcán vecino o un súbito temblor de tierra. Y aunque no ocurra ninguna catástrofe natural, una calle sin cuidar acaba desapareciendo al cabo de varios años al hundirse por la acción de las raíces de los árboles y la invasión de la hierba.

Las ciudades seleccionan la naturaleza

En las ciudades sólo las plantas resistentes a la contaminación del aire y a la falta de agua llegan a crecer. La mayoría de animales salvajes no tienen suficiente espacio en ellas para encontrar comida o huir de la presencia humana. En cambio, los menos exigentes, como las ratas, las palomas y las cucarachas, ¡proliferan aprovechando nuestros desechos y el calor de las casas!

Una naturaleza domesticada

A menudo los ciudadanos que están sedientos de naturaleza frecuentan los parques y jardines. Los árboles y las flores marcan en ellos el paso de las estaciones, aunque se trate de especies exóticas que no crecen espontáneamente en el campo de aquella región. Los habitantes de las ciudades también se rodean de animales de compañía, de perros o gatos, que viven con ellos en los pisos.

Encuesta sobre tu ciudad

Consigue un plano de tu barrio y pinta de color verde los espacios verdes y las calles con árboles. Imagina que eres una ardilla. ¿Puedes ir de un parque a otro saltando de árbol en árbol? Los corredores de vegetación son más esenciales para la fauna salvaje que los espacios verdes.

IV

LOS HABITANTES
DE LAS CIUDADES

«Una ciudad se convierte
en un universo cuando ama
aunque sea a uno solo
de sus habitantes.»
Lawrence Georges Durell

¿Por qué la gente vive en las ciudades?

¿Sabías que hoy día más de tres cuartas partes de europeos, de americanos y de japoneses viven en ciudades? En África y en Asia las ciudades también están creciendo. En total las ciudades albergan la mitad de la población mundial y, en cambio, sólo ocupan el 10 por ciento de las superficies habitadas del planeta. ¿Por qué tantos humanos se van a vivir a las ciudades?

Por elección: para vivir mejor

Las personas se instalan en una ciudad para huir de las condiciones difíciles del campo. Creen que ellas y sus hijos tendrán más oportunidades para estudiar, que dispondrán de mejores servicios médicos y serán más libres para vivir como les plazca, sin tener que preocuparse de qué dirán los vecinos.

Por obligación: para ganar dinero

Ni trabajadores ni mendigos pueden elegir siempre dónde desean vivir. En las ciudades es más fácil encontrar trabajo y cambiar de empleo.

Por placer: para distraerse

Para los turistas y los curiosos siempre pasa algo nuevo en la ciudad. El espectáculo se encuentra en cualquier parte de la calle: en los transeúntes y en las vitrinas, y también en los estadios, los cines y los teatros. La ciudad da la impresión de ser el centro del mundo porque en ella hay bibliotecas y museos y es donde nacen los periódicos y las modas.

Por comodidad: para sentirse acompañado

En la ciudad hay más gente, uno puede tener más contactos. Hay fiestas, manifestaciones. En general, la ciudad protege, da una sensación de seguridad porque uno sabe que está rodeado de muchas otras personas. No obstante, a veces también puede producir una sensación de soledad, de anonimato y, en ocasiones, de inseguridad.

Por cuestiones prácticas: para mantener las costumbres

Muchas personas viven en la ciudad para estar con la familia. Muchas sueñan con ir a vivir al campo o a una pequeña ciudad, pero pocas lo hacen.

Encuesta sobre tu ciudad

¿Cuántos años hace que tu familia vive en la ciudad en la que resides? ¿Dónde nacieron tus padres? ¿Y tus abuelos? ¿Y tus bisabuelos? Intenta averiguar cuándo y por qué los que nacieron en el campo se fueron a vivir a la ciudad.

¿Quién vive en la ciudad?

Si vives en la ciudad, eres un ciudadano. Los que viven en el campo se llaman campesinos. Los ciudadanos y los campesinos no piensan de distinta manera, es su forma de vivir lo que los diferencia unos de otros.
¿Quiénes son entonces los ciudadanos?

La mayoría de ellos

Hoy día en Europa, como los coches y la electricidad llegan a todas partes, los estilos de vida del campo y de la ciudad se parecen cada vez más. En España la mayoría de personas viven a menos de media hora de las tiendas, los centros de ocio y los centros sanitarios que necesitan. Aquello que hace sobre todo que la vida en una ciudad sea distinta es la proximidad de tantas personas.

Jóvenes y viejos

En las ciudades de Europa hay gente de todas las edades. Pero como las parejas jóvenes tienen cada vez menos hijos, la mayoría de la población está constituida por adultos de edad cada vez más avanzada. Si no naciera ningún nuevo habitante, la ciudad acabaría desapareciendo.

Extranjeros

En una ciudad conviven muchas personas que no se conocen entre sí. Hace mucho tiempo que las ciudades europeas reciben a los que llegan de las zonas rurales vecinas. En los últimos cuarenta años son sobre todo los campesinos o los ciudadanos de otros países los que vienen a instalarse en nuestras ciudades. Al haber tanta gente en las calles o en el metro, los extranjeros pasan más desapercibidos en la ciudad que en un pueblo.

Ricos y pobres

Como el precio de los alquileres varía de un barrio a otro, la gente se agrupa según el sueldo que gana o el dinero que tiene. La ciudad puede intentar eliminar estas diferencias, pero en todas partes hay barrios pobres y barrios ricos. En Estados Unidos más de ocho millones de americanos viven en unos barrios protegidos con unos grandes dispositivos de seguridad para que no les roben sus bienes. En España algunas personas dicen «yo soy de los barrios altos» en lugar de decir «soy de Madrid» o «soy español».

¿Quién mantiene viva la ciudad?

¿Te has hecho ya esta pregunta? Son las personas que trabajan en ella. Porque si no lo hicieran, las ciudades no existirían. Algunas personas producen objetos que se venden en otra parte. Y otras trabajan para los habitantes y las empresas de la ciudad.

Los obreros
En el pasado la gente se iba a vivir a la ciudad para trabajar en las fábricas. En aquella época se instalaban en el centro. Pero en la actualidad cada vez se necesitan menos obreros que trabajen en ellas y las fábricas suelen establecerse en las zonas industriales, en las afueras de la ciudad.

Los empleados
Cada vez hay más personas que trabajan en compañías de seguros, bancos o en el sector administrativo. Suelen trabajar juntas en las oficinas situadas en unos grandes y altos edificios.

Los comerciantes y los artesanos
La ciudad siempre ha sido un lugar con actividad comercial. Antaño las tiendecitas alineadas a lo largo de las calles convivían con los talleres de los artesanos. Pero en la actualidad las tiendas más o menos grandes están agrupadas en ciertas calles o en los centros comerciales.

Los profesores y los estudiantes

Una parte importante de la población de ciertas ciudades está formada por profesores, investigadores y estudiantes. En el pasado las universidades se encontraban en el centro de la ciudad, pero en la actualidad también se hallan en las afueras, en los campus.

Y también hay muchas otras

Y también hay muchas otras personas que trabajan en una ciudad: periodistas, taxistas, repartidores, artistas, publicitarios, enfermeras... Estos trabajadores, que siempre van con prisas, llenan el metro, los autobuses, las calles y las autopistas, por la mañana para ir a la ciudad y al atardecer para salir de ella.

Encuesta sobre tu ciudad

¿Crees que tus padres podrían seguir ejerciendo la misma profesión en el campo? En algunas ciudades de Europa predomina una actividad en concreto: en Gdansk son los astilleros navales, en Toulouse la industria aeronáutica y en Turín la fabricación de automóviles. Cuando una fábrica cierra, crea con ello muchos problemas a los obreros que se quedan en el paro y a toda la ciudad. Averigua cuál es la actividad principal en tu ciudad.

¿Quién construye las ciudades?

¿Has oído ya esta expresión: «Roma no se hizo en un día»?
Significa que hace falta tiempo para realizar un proyecto
importante, como el de construir una ciudad. Porque una
ciudad se va construyendo por partes. Está siempre
evolucionando y esta actividad mantiene ocupadas a muchas
personas.

EL ALCALDE

LOS URBANISTAS

EL ECONOMISTA

Los responsables

Son los alcaldes o los presidentes de los
municipios urbanos. Reflexionan sobre la
evolución que la ciudad experimentará en
diez años o más. Hacen que se lleve a cabo
los planes de las obras localizando las
zonas industriales y de viviendas, y
organizan la circulación y los
transportes públicos.

Los urbanistas

Son los especialistas que consulta el alcalde antes de decidir: geólogos, economistas,
sociólogos, ingenieros, paisajistas, arquitectos. Trabajan para concebir y estudiar la ciudad.

Los ejecutores

Son los profesionales que realizan una parte del plan: la sociedad de transportes se ocupa de las líneas del metro; la dirección de urbanismo, de las calles; el departamento de enseñanza, de las escuelas... Estos responsables deciden las construcciones, consiguen el dinero, adquieren los terrenos, encargan los planos a los ingenieros y arquitectos y, por último, pagan a las empresas constructoras. Los promotores son unos particulares que venden lo que construyen, los pisos, las oficinas o las tiendas.

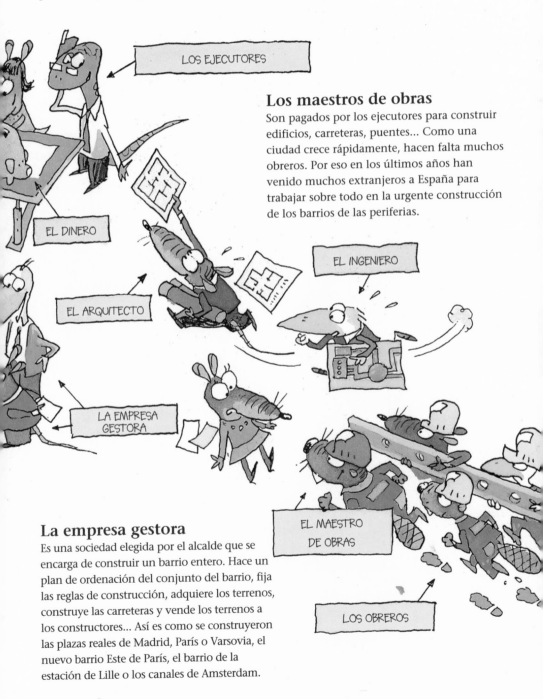

LOS EJECUTORES

Los maestros de obras

Son pagados por los ejecutores para construir edificios, carreteras, puentes... Como una ciudad crece rápidamente, hacen falta muchos obreros. Por eso en los últimos años han venido muchos extranjeros a España para trabajar sobre todo en la urgente construcción de los barrios de las periferias.

EL DINERO

EL INGENIERO

EL ARQUITECTO

LA EMPRESA GESTORA

EL MAESTRO DE OBRAS

LOS OBREROS

La empresa gestora

Es una sociedad elegida por el alcalde que se encarga de construir un barrio entero. Hace un plan de ordenación del conjunto del barrio, fija las reglas de construcción, adquiere los terrenos, construye las carreteras y vende los terrenos a los constructores... Así es como se construyeron las plazas reales de Madrid, París o Varsovia, el nuevo barrio Este de París, el barrio de la estación de Lille o los canales de Amsterdam.

¿Quién hace funcionar la ciudad?

En la ciudad en la que vives ves trabajar a carteros, policías, taxistas o conductores de autobuses, bomberos, basureros y jardineros. También hay otras personas, menos visibles, que se ocupan del agua, la electricidad, las alcantarillas. Porque para que una ciudad funcione es necesario que muchas personas se ocupen de ella.

Un director de orquesta

La organización de las ciudades varía según los países. En España cada alcalde dirige su propio municipio.

El alcalde ha de asociarse a menudo con los alcaldes de los municipios vecinos para coordinar los servicios necesarios para los habitantes de aquella zona.

El dinero

En una ciudad hay que pagar por todo. Por el alojamiento, los desplazamientos, la comida ¡e incluso para hacer pipí! Todo cuesta dinero, porque para hacer que una ciudad funcione, hace falta mucho. Cada municipio cobra unos impuestos a los habitantes, los propietarios, las empresas e incluso a los turistas. También puede recibir ayuda económica de la provincia a la que pertenece, de la región y del Estado.

El ayuntamiento

Guarderías, escuelas, residencias para ancianos, transportes, espectáculos, agua, electricidad, alcantarillas, evacuación de los desechos... ¡El ayuntamiento puede llegar a ocuparse de todo! Lo hace él mismo o confía el trabajo a sociedades privadas.

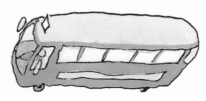

Las sociedades privadas

En Inglaterra distintas sociedades rivales se ocupan de los transportes. Sólo pueden trabajar en los barrios donde hay suficientes clientes y los pasajeros han de pagar cada vez que utilizan un transporte de distinta compañía.

¿Quién puede influir en la ciudad?

¿Conoces los consejos municipales de jóvenes?
Están formados por unos jóvenes elegidos que reflexionan con el alcalde para mejorar la vida en su ciudad. Con la democracia cualquier ciudadano puede opinar sobre los proyectos de su municipio, aunque no sea siempre escuchado.

Los habitantes

Al instalarse en un barrio o en otro, cada habitante afecta al conjunto de la ciudad. Al ir en bicicleta, en coche o en transporte público, cada uno de nosotros podemos cambiar la forma de vivir en la ciudad. Pero si un ciudadano vive lejos, los transportes públicos no son prácticos y su trabajo le exige desplazarse con facilidad, no le queda más remedio que utilizar el coche.

Los electores

El alcalde ha de tomar las decisiones que afectan a su ciudad. En los países democráticos no puede hacerlo sin antes tener en cuenta la opinión de sus habitantes. No todo el mundo opina lo mismo sobre los cambios que desea ver en ella. Todos quieren llegar en poco tiempo al aeropuerto, pero a nadie le gusta el ruido de los aviones. Esta actitud se llama «Nimby», una palabra formada por las iniciales de la frase inglesa «*Not in my backyard*», que significa: ¡en mi jardín, no! A menudo es imposible encontrar una situación que satisfaga a todos.

Las asociaciones

Según los países, las asociaciones de habitantes participan más o menos en las decisiones de su ciudad. En Alemania, a partir de la caída del muro de Berlín en 1989, se organizaron reuniones frecuentemente para que todo el mundo diera su parecer sobre la ciudad. En Inglaterra, en las comisiones de cada barrio, se discuten las construcciones que los vecinos desean que se lleven a cabo. En Nueva York, quince meses después del atentado que destruyó las Torres Gemelas del World Trade Center, los neoyorquinos han presentado cinco proyectos gigantescos de reconstrucción. Al final el que la municipalidad ha elegido no es el que quería la mayoría.

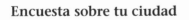

Encuesta sobre tu ciudad

Haz una lista con los cambios que te gustaría ver en tu ciudad. Subraya las cosas que te parezcan fáciles de realizar. Infórmate en el ayuntamiento para averiguar si en tu ciudad se organiza un consejo municipal de jóvenes. Si es así, contacta con él para compartir tus ideas. Y si no, no dudes en escribir al alcalde para sugerirle que cree uno.

V

LA CIUDAD ES EL EJE
DE LA ECONOMÍA

«En Occidente el capitalismo
y las ciudades son en el fondo
lo mismo. Dinero es sinónimo
de ciudad.»

Fernand Braudel

Las ciudades de los países ricos

Europa forma parte de las regiones ricas, aunque haya gente pobre en ella. Los países que la componen se llaman desarrollados porque han experimentado una expansión económica y el progreso de sus ciudades. También son llamados, junto con América del Norte y Japón, los países del Norte. En el Sur, sólo Australia ha seguido el mismo modelo de crecimiento.

En una ciudad, la industria y la riqueza van de la mano

Las ciudades de los países desarrollados crecieron muy deprisa en los siglos XIX y XX, cuando la revolución industrial hizo que los habitantes se concentraran alrededor de las fábricas. Estas ciudades se dedicaron a exportar sus inventos y productos por barco, tren o avión a todo el mundo. Y el país al que pertenecen se enriqueció gracias a ello. Así es como el desarrollo ha llegado a predominar en el planeta desde hace dos siglos.

Cuanto más ricas son, más se extienden

Las ciudades de los países ricos ocupan siempre más espacio. Sus habitantes se van a vivir lejos del centro. El paisaje de estas ciudades ya no está modelado por la producción, sino por el consumo: las autopistas conectan los barrios residenciales con los gigantescos centros comerciales.

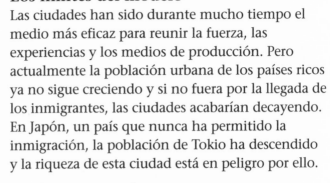

Los límites del modelo

Las ciudades han sido durante mucho tiempo el medio más eficaz para reunir la fuerza, las experiencias y los medios de producción. Pero actualmente la población urbana de los países ricos ya no sigue creciendo y si no fuera por la llegada de los inmigrantes, las ciudades acabarían decayendo. En Japón, un país que nunca ha permitido la inmigración, la población de Tokio ha descendido y la riqueza de esta ciudad está en peligro por ello.

Malestar en las ciudades

Durante muchos años en las ciudades no hubo unas buenas condiciones de vida. En la actualidad, la situación de los países del Norte ha mejorado. Sin embargo, la vida puede seguir siendo penosa, porque hay pocos espacios verdes, una gran contaminación y el problema de la llegada de los extranjeros, además el cierre de las fábricas y las empresas provoca unos cambios muy dramáticos en la vida de los que se quedan sin trabajo.

Las ciudades de los países pobres

¡Julio Verne preveía ya ciudades de 10 millones de habitantes para el año 2889! Hoy por hoy, veinticinco ciudades sobrepasan ya esta cifra, veinte de las cuales se encuentran en los países más pobres del planeta. México, São Paulo, Río de Janeiro, Bombay, Calcuta y Jakarta tienen incluso más de 15 millones de habitantes.

Las ciudades sin fábricas

En los últimos siglos los países pobres, llamados del Sur, no han conocido la revolución industrial. En aquella época la mayoría de los que se encontraban en África, América del Sur, Oriente Medio y Lejano Oriente eran colonias de países industrializados a los que exportaban sus cosechas y productos. Actualmente las ciudades de estos países, al haberse independizado, están creciendo muy deprisa, sin que la industria ofrezca empleos a la población que se agrupa en ellas.

El crecimiento de la población

La población de las ciudades del Sur no cesa de aumentar. Las parejas jóvenes siguen teniendo muchos hijos, incluso en la ciudad. Numerosos campesinos se van del campo con la esperanza de vivir en mejores condiciones, pero al llegar a la ciudad no encuentran trabajo ni alojamiento. Los niños, que a menudo son abandonados, han de arreglárselas para sobrevivir en las calles.

Las ciudades crecen a toda marcha

En América Central y del Sur, donde el 75 por ciento de la población es urbana, las antiguas ciudades continúan creciendo. Las ciudades de África, donde el 70 por ciento de la población sigue siendo rural, están creciendo con más fuerza aún. Los campesinos llegan a la ciudad de todas partes porque no pueden vender a buen precio sus pequeñas cosechas.

Las chabolas, unas viviendas precarias e ilegales

En las ciudades del Sur predominan los ricos, que se enriquecen aprovechándose del comercio, y los pobres, que apenas tienen lo básico para sobrevivir. Ni en las ciudades ni en los Estados hay medios suficientes para hacer funcionar el equipamiento urbano.

Viviendas y barrios enteros están aislados, sin transportes públicos, agua, electricidad, servicio de basuras ni alcantarillado para reunir y eliminar el agua sucia. En Bogotá, Manila, Lagos, Bombay y Karachi del 30 al 60 por ciento de habitantes viven en chabolas.

Las ciudades de los nuevos países industriales

¿Has oído hablar de los «dragones asiáticos»? ¡No se trata de unas marionetas chinas!, sino que es así cómo los economistas llaman a los países del sudeste asiático que se están desarrollando desde hace cuarenta años. En Hong Kong, Taiwán, Singapur, Corea del Sur y también en China, el crecimiento de las ciudades es enorme.

Una industria local

Los dragones asiáticos, aprovechando su situación geográfica y la abundante población que cobra un bajo sueldo, desarrollan sus ciudades basándose en la industria.

Exportan sus productos por barco al mundo entero a bajo precio: electrodomésticos, televisiones, vidojuegos o cámaras fotográficas, automóviles y barcos.

El futuro no es un camino de rosas

Estas ciudades de Asia tienen, gracias a su producción local, los medios para funcionar adecuadamente. Sin embargo, la rapidez de su crecimiento crea muchas desigualdades. Las condiciones de vida son muy difíciles para una gran parte de habitantes pobres que viven con los enormes problemas de la contaminación y la falta de transportes y equipamientos.

Cada ciudad progresa de distinta manera

Seúl, en **Corea del Sur**, ha crecido alrededor de sus astilleros navales y ya es tan grande como Tokio.

Hong Kong, una antigua colonia británica, es china desde 1997. No produce nada en el lugar, sino que exporta productos de China a los países desarrollados. Su puerto alberga los navieros más importantes del mundo.

Singapur es una isla independiente desde 1966. En sus calles, sumamente limpias que discurren entre los rascacielos y los barrios antiguos, ¡está prohibido mascar chicle!

Taiwán es una isla que en el pasado fue una colonia china, holandesa, portuguesa y japonesa. Desde 1949 los chinos, huyendo del régimen comunista, se han estado refugiando en **Taipei**, la capital.

Tailandia, que nunca fue colonizada, sigue el modelo de los cuatro dragones. En **Bangkok**, su capital, una ciudad superpoblada, el metro recién construido mejora la circulación.

Las ciudades chinas son un mundo aparte

China ha vivido durante mucho tiempo de la agricultura. En la actualidad cuenta con 1.300 millones de habitantes e intenta limitar su población. El régimen comunista, para controlar el crecimiento de las ciudades, prohibió a los chinos ir a vivir a una ciudad mayor que la suya propia natal. Hoy día, como el desarrollo económico es muy rápido y existen grandes astilleros, la regla es menos estricta. La población de las ciudades se ha doblado en 20 años. Pekín, la capital, y Shanghai, el centro económico, compiten entre sí para ser las ciudades más modernas del mundo.

Una única ciudad en el mundo

Si visitas distintas ciudades, te sorprenderás al ver por todas partes las mismas marcas de ropa y de coches, y los mismos nombres de restaurantes de comida rápida. No creas que se trata de una casualidad. Las ciudades del mundo forman una inmensa red en la que las multinacionales captan a su clientela.

El mundo está conectado por las ciudades

Una ciudad, tanto si es pequeña como grande, se relaciona con otras ciudades de su país y del mundo entero. Si fueras conectando en un mapa cada ciudad con un trazo, acabarías dibujando una gigantesca telaraña. Es la red de las ciudades. Las personas, los artículos y la información que circulan entre las ciudades, utilizan estos caminos a través de distintos medios de transporte y de comunicación.

El poder de las ciudades

En la red mundial no todas las ciudades son iguales. Las grandes metrópolis, al gozar de un poder económico, político y cultural, dominan a las otras. Durante las veinticuatro horas del día las bolsas de Tokio, París, Londres y Nueva York se van turnando para controlar la evolución de los mercados a nivel mundial. En estas capitales económicas las cotizaciones de la bolsa llegan en tiempo real.

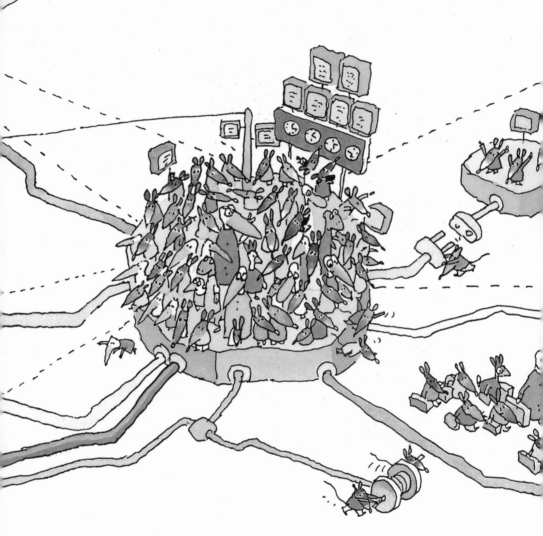

La concentración a pesar de la red

Para aumentar nuestra riqueza, los humanos siempre hemos necesitado unirnos. Gracias a la red que existe entre las ciudades, la producción ha dejado de darse sólo en determinados países. Pero las personas que dirigen el sistema siguen agrupándose alrededor de los grandes centros de toma de decisiones, información y cultura de la ciudad. Las grandes metrópolis siguen atrayendo a más gente, hasta que las condiciones de vida se hagan insoportables en ellas. Actualmente las inmensas megalópolis están ya perdiendo un poco de su población, en cambio las ciudades de varios millones de habitantes siguen creciendo.

El futuro de las ciudades

La ciudad de Tokio produce tanta riqueza como toda España. Pero, ¿piensas por ello que se viva mejor en la capital japonesa que en tu ciudad? No lo creo. Hasta ahora las ciudades han estado prosperando gracias a un desarrollo económico que parecía imparable. El futuro del mundo ¿sigue dependiendo de las ciudades? Podemos imaginar tres situaciones posibles.

¿El fin de las ciudades?
Algunas personas atribuyen la mayor parte de nuestras desgracias a las ciudades, donde la circulación es cada vez más densa y las viviendas más caras, y donde reina la contaminación y la inseguridad. Para ellas, el teléfono e Internet, que permiten comunicarse casi al instante, día y noche, de un extremo al otro del planeta, anuncian el fin de las ciudades. Sin embargo, para comunicarnos las personas hemos necesitado siempre encontrarnos y vernos.

¿Las ciudades utópicas?

Otras personas piensan, en cambio, que son las ciudades las que nos ofrecen las mayores posibilidades de creación y expansión. Sueñan con una ciudad perfecta y diseñan descabellados proyectos de ciudades, en Japón, en el desierto de Arizona, bajo el mar o en la Luna. Se trata de construcciones futuristas, aisladas del resto del mundo, en las que sus habitantes ¡no tienen además ninguna libertad!

¿Ciudades duraderas?

En Europa se intenta mejorar progresivamente las ciudades existentes en lugar de crear otras nuevas. Una ciudad ha de ir evolucionando para no desaparecer y debe organizarse para perdurar. Por eso es necesario que proteja mejor que ahora el medio ambiente y que conserve la capacidad de desarrollarse económicamente. Ha de permitir al conjunto de sus habitantes vivir en armonía juntos y concebir un sistema para gobernar las ciudades donde cada ciudadano pueda participar en la evolución de su ciudad.

Los récords de las ciudades

La ciudad más densa ▶
Hong Kong, en China
Con 7 millones de habitantes
sobre 1.075 km², es tres veces
más densa que el centro de París.

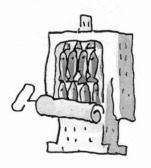

La ciudad más larga ▼
Los Ángeles, en Estados Unidos
Se extiende a lo largo de 120 km, con más de 1.000 km de autopistas.

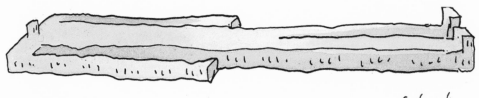

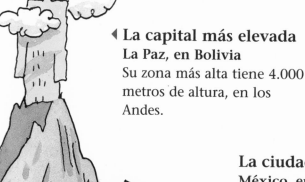

◀ **La capital más elevada**
La Paz, en Bolivia
Su zona más alta tiene 4.000
metros de altura, en los
Andes.

La ciudad más contaminada ▲
México, en México
Es también la ciudad más grande
del mundo; Bangkok la iguala en
contaminación

La ciudad más ecológica del mundo ▶
Curitiba, en Brasil
Esta ciudad tiene 1,5 millones de habitantes.
Cada uno goza de 50 m² de espacio verde y de
una red de zonas peatonales y de carriles para
los ciclistas.

La ciudad de habla francesa más grande fuera de Francia
Montreal, en Canadá
Tiene más de 3 millones de habitantes que hablan casi todos ellos en francés.

El bosque urbano más grande ▶ se encuentra en
Río de Janeiro, Brasil
El bosque de Tijuca tiene una extensión de 100 km².

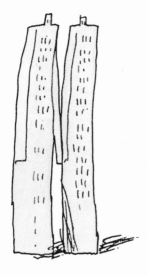

El rascacielos más alto del mundo se encuentra en
Kuala Lumpur, Malasia
Las Torres Gemelas Petronas, de 452 metros de altura y 88 pisos, se inauguraron en 1997.

La ciudad más jugadora ▶
Las Vegas, en Estados Unidos
Esta ciudad de 800.000 habitantes recibe cada año más de 30 millones de jugadores.

La plaza más grande del mundo
se encuentra en Pekín, China

La plaza de Tiananmen, con 40 hectáreas (70 campos de fútbol). Famosa a partir de la manifestación de estudiantes violentamente reprimida que tuvo lugar en ella, fue creada después de 1949 por Mao Zedong.

Minidiccionario
de la ciudad

Afueras

Conjunto de barrios construidos alrededor de una ciudad.

Campesino

Habitante del campo. Normalmente designa a una persona que vive y trabaja en el campo.

Chabola

Vivienda hecha de chapas, madera, toldos y bidones usados donde viven las poblaciones de emigrantes en la periferia de las ciudades.

Ciudad

Un espacio geográfico cuya población, generalmente numerosa, se dedica en su mayor parte a actividades no agrícolas.

Ciudad dormitorio

Conjunto de viviendas adosadas o de edificios de pisos construidos en las afueras de las ciudades.

Ciudadano

Habitante de una ciudad. En el pasado, en Atenas también se refería a los habitantes que participaban en la vida de la ciudad.

Emigrantes, inmigrantes

Los emigrantes son las personas que dejan su país natal para ir a vivir a otro. En este nuevo país son inmigrantes.

Gueto

En su origen, en Italia era el barrio donde los judíos se veían obligados a vivir. Por extensión, es un lugar donde una comunidad, sea cual sea su procedencia, vive apartada de las otras.

Inmueble
En una ciudad es un edificio de grandes dimensiones con varias
plantas donde hay viviendas, tiendas u oficinas.

Megalópolis
Una ciudad gigantesca.

Metrópoli
Capital política o económica de un país o de una región.

Municipio
Territorio administrado por un alcalde. Un municipio puede ser rural
o urbano.

Parcelación
Terreno dividido en parcelas regulares para venderlas
a los particulares que construirán viviendas
o otra clase de edificios.

Pueblo
Población rural formada por un grupo considerable de viviendas
organizadas alrededor de la producción agrícola.

Urbano
Perteneciente a una ciudad: mobiliario urbano,
transporte urbano, estilo de vida urbano.

Zona residencial
Barrio reservado a las viviendas, suele designar
sólo los barrios de las personas más ricas.

Las ciudades de la A a la Z

Índice